U1071068

在庆祝海南建省办经济特区30周年大会上的讲话

（2018年4月13日）

习　近　平

人　民　出　版　社

图书在版编目（CIP）数据

在庆祝海南建省办经济特区 30 周年大会上的讲话/习近平 著. —
北京：人民出版社，2018.4
ISBN 978-7-01-019292-5

Ⅰ.①在… Ⅱ.①习… Ⅲ.①习近平-讲话-学习参考资料
②特区经济-经验-海南 Ⅳ.①D2-0 ②F127.66

中国版本图书馆 CIP 数据核字（2018）第 069320 号

（RMC-ZJDXI-059-20180413）

在庆祝海南建省办经济特区 30 周年大会上的讲话

ZAI QINGZHU HAINAN JIAN SHENGBAN JINGJI TEQU
30 ZHOUNIAN DAHUI SHANG DE JIANGHUA

（2018 年 4 月 13 日）

习 近 平

人民出版社 出版发行
（100706 北京市东城区隆福寺街 99 号）

北京新华印刷有限公司印刷 新华书店经销

2018 年 4 月第 1 版 2018 年 4 月北京第 1 次印刷
开本：880 毫米×1230 毫米 1/32 印张：0. 75
字数：9 千字

ISBN 978-7-01-019292-5 定价：2.20 元

邮购地址 100706 北京市东城区隆福寺街 99 号
人民东方图书销售中心 电话 （010）65250042 65289539

在庆祝海南建省办经济特区30周年大会上的讲话

（2018年4月13日）

习　近　平

女士们，先生们，同志们：

今年是我国改革开放40周年，也是海南建省办经济特区30周年。今天，我们在这里隆重集会，庆祝海南建省办经济特区30周年，就是要充分肯定经济特区建设的历史功绩，深刻总结经济特区建设的宝贵经验，全面贯彻党的十九大精神和新时代中国特色社会主义思想，在新时代新起点上继续把全面深化改革推向前进，为实现“两个一百年”奋斗目标、实现中华民族伟大复兴的中国梦提供强大动力。

兴办经济特区，是我们党和国家为推进改革开放和社会主义现代化建设作出的重大决策。1978年12月，党的十一届三中全会作出把党和国家工作中心转移到经济建设上来、实行改革开放的历史性决策，动员全党全国各族人民为社会主义现代化建设进行新的长征。这是新中国成立以来我们党和国家历史上具有深远意义的伟大转折。为了推进改革开放和社会主义现代化建设，党中央决定兴办深圳、珠海、汕头、厦门4个经济特区，实行特殊政策和灵活措施，发挥对全国改革开放和社会主义现代化建设的重要窗口和示范作用。

1984年，邓小平同志在视察深圳、珠海、厦门经济特区后提出："我们还要开发海南岛，如果能把海南岛的经济迅速发展起来，那就是很大的胜利。"1987年，邓小平同志会见外宾时说："我们正在搞一个更大的特区，这就是海南岛经济特区。海南岛和台湾的面积差不多"，"海南岛好好发展起来，是很了不起的"。根据党中央决策，1988年4月，七届全国人大一次会议正式批准设立海南省，划定海南岛为经济特区。从此，海南这个祖国美丽的海岛获得了前所未有的发展机遇，进入了深化改革、扩大开放的历史新阶段。

30年来，在党中央坚强领导和全国大力支持下，海南经济特区坚持锐意改革，勇于突破传统经济体制束缚，经济社会发展取得了令人瞩目的成绩。1987年，海南地区生产总值仅有57.28亿元，地方财政收入不到3个亿。到2017年，海南地区生产总值达到4462.5亿元，人均地区生产总值7179美元，地方一般公共预算收入674亿元，地区生产总值、人均生产总值、地方财政收入分别增长21.8倍、14.3倍、226.8倍，现代服务业、热带农业、新型工业迅速成长，交通、电力、水利、通信等基础设施日趋完备。改革开放取得重要突破，在农垦体制改革、“多规合一”改革、省直管市县的行政管理体制改革、航权开放等方面走在全国前列。国际交流合作空前扩大，成功举办了18届博鳌亚洲论坛年会。在全国率先建设生态省，大气和水体质量保持领先水平。人民生活明显改善，教育、卫生、文化等社会事业加快发展，城乡面貌发生深刻变化。经过30年不懈努力，海南已从一个边陲海岛发展成为我国改革开放的重要窗口。

海南经济特区是我国经济特区的一个生动缩影，海南经济特区取得的成就是改革开放以来我国实现历史性变革、取得历史性成就的一个生动缩影。

40 年来，深圳、珠海、汕头、厦门、海南 5 个经济特区不辱使命，在建设中国特色社会主义伟大历史进程中谱写了勇立潮头、开拓进取的壮丽篇章，在体制改革中发挥了“试验田”作用，在对外开放中发挥了重要“窗口”作用，为全国改革开放和社会主义现代化建设作出了重大贡献。

经济特区改革发展事业取得的成就，是党中央坚强领导、悉心指导的结果，是广大建设者开拓进取、奋勇拼搏的结果，是全国人民和四面八方倾力支持、广泛参与的结果。借此机会，我代表党中央、国务院、中央军委，向 900 多万海南人民，向经济特区广大建设者，向所有为经济特区建设作出贡献的同志们，致以热烈的祝贺和诚挚的问候！向各位来宾，向关心和支持经济特区建设的国内外各界人士，表示衷心的感谢！

女士们、先生们、同志们！

海南等经济特区的成功实践，充分证明了党的十一届三中全会以来形成的党的基本理论、基本路线、基本方略是完全正确的,中国特色社会主义道路是实现社会主义现代化、创造人民美好生活的必由之路;充分证明了无论改什么、改到哪一步,都要坚持党的领导,确保党把方向、谋大局、定政策,确保党始终总揽全局、协调各方;充分证明了改革开放是决定当代中国命运的关键抉择,是当代中国发展进步的活力之源,是党和人民事业大踏步赶上时代的重要法宝,是坚持和发展中国特色社会主义、实现中华民族伟大复兴的必由之路;充分证明了党中央关于兴办经济特区的战略决策是完全正确的,在决胜全面建成小康社会、夺取新时代中国特色社会主义伟大胜利的征程上,经济特区不仅要继续办下去,而且要办得更好、办出水平;充分证明了人民是改革的主体,要坚持一切为了人民、一切依靠人民,发挥好广大人民群众的积极性、主动性、创造性,使广大人民群众成为推动改革开放的强大力量。

经过长期努力特别是改革开放 40 年来不懈奋斗,中国特色社会主义进入了新时代。党的十九大描绘了决胜全面建成小康社会、夺取新时代中国特色社会主义伟大胜利的宏伟蓝图,进一步指明了党和国家事业前进方向。我们要胜利实现既定战略目标,就要坚定不移坚持中国特色社会主义道路,坚定不移走改革开放这条正确之路、强国之路、富民之路。

新形势、新任务、新挑战,赋予经济特区新的历史使命,经济特区要不忘初心、牢记使命,在伟大斗争、伟大工程、伟大事业、伟大梦想中寻找新的方位,把握好新的战略定位。

——经济特区要成为改革开放的重要窗口。经济特区是我国最早对外开放的地区,是对外经济交流最活跃的地区,也是最能代表改革开放形象的地区。经济特区要继续发挥好改革开放的重要窗口作用,坚持打开国门搞建设,坚持引进来和走出去并重,同各国扩大双向贸易和投资往来,共建开放型世界经济。要大幅度放宽市场准入,扩大服务业特别是金融业对外开放,创造更有吸引力的投资环境。要加强国际人文交流,促进民心相通、文化相融。

——经济特区要成为改革开放的试验平台。创办经济特区是我国改革开放的重要方法论,是经过实践检验推进改革开放行之有效的办法。先行先试是经济特区的一项重要职责，目的是探索改革开放的实现路径和实现形式，为全国改革开放探路开路。只有敢于走别人没有走过的路，才能收获别样的风景。经济特区要勇于扛起历史责任，适应国内外形势新变化，按照国家发展新要求，顺应人民新期待，发扬敢闯敢试、敢为人先、埋头苦干的特区精神，始终站在改革开放最前沿，在各方面体制机制改革方面先行先试、大胆探索，为全国提供更多可复制可推广的经验。

——经济特区要成为改革开放的开拓者。经济特区的成功实践为中国特色社会主义理论形成和发展提供了丰富素材和鲜活经验。新形势下，坚持和发展中国特色社会主义仍然有许多重大课题需要探索实践，有许多新的领域需要开拓创新。当前，改革在很多领域突入了“无人区”，经济特区要坚持摸着石头过河，逢山开路，遇水架桥，在实践中求真知，在探索中找规律，不断形成新经验、深化新认识、贡献新方案。

——经济特区要成为改革开放的实干家。空谈误国，实干兴邦。只有真抓才能攻坚克难，只有实干才能梦想成真。经济特区要坚定舍我其谁的信念、勇当尖兵的决心，保持爬坡过坎的压力感、奋勇向前的使命感、干事创业的责任感，积极培育崇尚实干的环境，务实求变、务实求新、务实求进，为实干者撑腰，为干事者鼓劲，以昂扬的精神状态推动改革不停顿、开放不止步。

女士们、先生们、同志们！

海南是我国最大的经济特区，地理位置独特，拥有全国最好的生态环境，同时又是相对独立的地理单元，具有成为全国改革开放试验田的独特优势。海南在我国改革开放和社会主义现代化建设大局中具有特殊地位和重要作用。

三十而立，蓄势待发。党中央从决定设立海南经济特区开始，就决心把海南岛好好发展起来。如果海南岛更好发展起来，中国特色社会主义就更有说服力，更能够增强人们对中国特色社会主义的信心。

新时代，海南要高举改革开放旗帜，创新思路、凝聚力量、突出特色、增创优势，努力成为新时代全面深化改革开放的新标杆，形成更高层次改革开放新格局。这是我们庆祝海南建省办经济特区30周年的最好方式，也是庆祝我国改革开放40周年的重大举措。

党中央对海南改革开放发展寄予厚望，最近研究制定了《关于支持海南全面深化改革开放的指导意见》，赋予海南经济特区改革开放新的重大责任和使命，也为海南深化改革开放注入了强大动力。这是海南发展面临的新的重大历史机遇。

海南广大干部群众要抓住机遇、再接再厉，全面贯彻党的十九大精神，以新时代中国特色社会主义思想为指导，坚持稳中求进工作总基调，增强“四个意识”，坚定“四个自信”，坚持新发展理念，统筹推进“五位一体”总体布局和协调推进“四个全面”战略布局，以供给侧结构性改革为主线，建设自由贸易试验区和中国特色自由贸易港，发挥自身优势，大胆探索创新，着力打造全面深化改革开放试验区、国家生态文明试验区、国际旅游消费中心、国家重大战略服务保障区，争创新时代中国特色社会主义生动范例，让海南成为展示中国风范、中国气派、中国形象的靓丽名片。

第一，海南要坚持开放为先，实行更加积极主动的开放战略，加快建立开放型经济新体制，推动形成全面开放新格局。经济全球化是社会生产力发展的客观要求和科技进步的必然结果。经济全球化为世界经济增长提供了强劲动力，促进了商品和资本流动、科技和文明进步、各国人民交往，符合各国共同利益。当前，世界经济仍然面临诸多复杂挑战，新增长动能缺乏，增长分化加剧。把困扰世界的问题简单归咎于经济全球化，搞贸易和投资保护主义，想人为让世界经济退回到孤立的旧时代，不符合历史潮流。正确的选择是，充分利用一切机遇，合作应对一切挑战。

我在党的十九大报告中强调，中国开放的大门不会关闭，只会越开越大。这是我们对世界的庄重承诺。要坚持对外开放的基本国策，奉行互利共赢的开放战略，遵守和维护世界贸易规则体系，推动经济全球化朝着更加开放、包容、普惠、平衡、共赢的方向发展，让经济全球化进程更有活力、更加包容、更可持续，让不同国家、不同阶层、不同人群共享经济全球化的好处。

在这里，我郑重宣布，党中央决定支持海南全岛建设自由贸易试验区，支持海南逐步探索、稳步推进中国特色自由贸易港建设，分步骤、分阶段建立自由贸易港政策和制度体系。这是党中央着眼于国际国内发展大局，深入研究、统筹考虑、科学谋划作出的重大决策，是彰显我国扩大对外开放、积极推动经济全球化决心的重大举措。

海南全岛建设自由贸易试验区，要以制度创新为核心，赋予更大改革自主权，支持海南大胆试、大胆闯、自主改，加快形成法治化、国际化、便利化的营商环境和公平开放统一高效的市场环境。要更大力度转变政府职能，深化简政放权、放管结合、优化服务改革，全面提升政府治理能力。要实行高水平的贸易和投资自由化便利化政策，对外资全面实行准入前国民待遇加负面清单管理制度，围绕种业、医疗、教育、体育、电信、互联网、文化、维修、金融、航运等重点领域，深化现代农业、高新技术产业、现代服务业对外开放，推动服务贸易加快发展，保护外商投资合法权益，推进航运逐步开放。

自由贸易港是当今世界最高水平的开放形态。海南建设自由贸易港要体现中国特色，符合中国国情，符合海南发展定位，学习借鉴国际自由贸易港的先进经营方式、管理方法。我们欢迎全世界投资者到海南投资兴业，积极参与海南自由贸易港建设，共享中国发展机遇、共享中国改革成果。

海南发展不能以转口贸易和加工制造为重点，而要以发展旅游业、现代服务业、高新技术产业为主导，更加注重通过人的全面发展充分激发发展活力和创造力。在内外贸、投融资、财政税务、金融创新、入出境等方面，探索更加灵活的政策体系、监管模式、管理体制，加强风险防控体系建设，打造开放层次更高、营商环境更优、辐射作用更强的开放新高地。

海南要利用建设自由贸易港的契机，加强同“一带一路”沿线国家和地区开展多层次、多领域的务实合作，建设21世纪海上丝绸之路的文化、教育、农业、旅游等交流平台，在建设21世纪海上丝绸之路重要战略支点上迈出更加坚实的步伐。

第二，海南要站在更高起点谋划和推进改革，下

大气力破除体制机制弊端，不断解放和发展社会生产力。当前，改革又到了一个新的历史关头，推进改革的复杂程度、敏感程度、艰巨程度不亚于 40 年前。因循守旧没有出路，畏缩不前坐失良机。改革开放的过程就是思想解放的过程。没有思想大解放，就不会有改革大突破。解放思想不是脱离国情的异想天开，也不是闭门造车的主观想象，更不是毫无章法的莽撞蛮干。解放思想的目的在于更好实事求是。要坚持解放思想和实事求是的有机统一，一切从国情出发、从实际出发，既总结国内成功做法又借鉴国外有益经验，既大胆探索又脚踏实地，敢闯敢干，大胆实践，多出可复制可推广的经验，带动全国改革步伐。要坚持问题导向，从群众关心的事情做起，从群众不满意的地方改起，敢于较真碰硬，勇于破难题、闯难关，在破除体制机制弊端、调整深层次利益格局上再啃下一些硬骨头。要强化改革举措系统集成，科学配置各方面资源，加快推进城乡融合发展体制机制、人才体制、财税金融体制、收入分配制度、国有企业等方面的改革，支持海南设立国际能源、航运、大宗商品、产权、股权、碳排放权等交易场所，形成更加成熟更加定型的制度体系。

深化党和国家机构改革是当前的一项重要工作。海南要深入落实党的十九届三中全会精神,按照党中央统一部署,深化地方党政机构改革,科学配置行政资源,转变政府职能,深化简政放权,结合自身实际改革和完善行政管理体制,为国家治理体系和治理能力现代化进行新的探索。

第三,海南要坚决贯彻新发展理念,建设现代化经济体系,在推动经济高质量发展方面走在全国前列。我国经济已由高速增长阶段转向高质量发展阶段,这是党中央对新时代我国经济发展特征的重大判断。发展是第一要务,创新是第一动力,是建设现代化经济体系的战略支撑。海南要深化供给侧结构性改革,发挥优势,集聚创新要素,积极发展新一代信息技术产业和数字经济,推动互联网、物联网、大数据、卫星导航、人工智能同实体经济深度融合,整体提升海南综合竞争力。要加强国家南繁科研育种基地(海南)建设,打造国家热带农业科学中心,支持海南建设全球动植物种质资源引进中转基地。国家支持海南布局建设一批重大科研基础设施和条件平台,建设航天领域重大科技创新基地和国家深海基地南方中心,打造空间科技创新战略高地。要创新科技管理体制,建立符合科研规律的科技创新管理制度和国际科技合作机制,设立海南国际离岸创新创业示范区。

现代服务业是产业发展的趋势,符合海南发展实际,海南在这方面要发挥示范引领作用。要瞄准国际标准提高水平,下大气力调优结构,重点发展旅游、互联网、医疗健康、金融、会展等现代服务业,加快服务贸易创新发展,促进服务业优化升级,形成以服务型经济为主的产业结构。

国际旅游岛是海南的一张重要名片。推动海南建设具有世界影响力的国际旅游消费中心,是高质量发展要求在海南的具体体现。要实施一批重大基础设施工程,提高基础设施网络化智能化水平,加密海南直达全球主要客源地的国际航线,加快构建现代基础设施体系。要实施更加开放便利的离岛免税购物政策,实现离岛旅客全覆盖,提高免税购物限额。要支持海南积极引进国际优质资本和智力资源,采用国际先进理念进行旅游资源保护和开发。

要允许在海南注册的符合条件的中外合资旅行社从事除台湾地区以外的出境旅游业务。要培育旅游消费新业态新热点，提升服务能力和水平，推进全域旅游发展，为国内外游客和当地群众提供更多优质服务，使海南国际旅游岛这张名片更亮更出彩。

海南是我国唯一的热带省份。要实施乡村振兴战略，发挥热带地区气候优势，做强做优热带特色高效农业，打造国家热带现代农业基地，进一步打响海南热带农产品品牌。要发展乡村旅游，打造体现热带风情的精品小镇。

我国是海洋大国，党中央作出了建设海洋强国的重大部署。海南是海洋大省，要坚定走人海和谐、合作共赢的发展道路，提高海洋资源开发能力，加快培育新兴海洋产业，支持海南建设现代化海洋牧场，着力推动海洋经济向质量效益型转变。要发展海洋科技，加强深海科学技术研究，推进“智慧海洋”建设，把海南打造成海洋强省。要打造国家军民融合创新示范区，统筹海洋开发和海上维权，推进军地共商、科技共兴、设施共建、后勤共保，加快推进南海资源开发服务保障基地和海上救援基地建设，坚决守好祖国南大门。

第四，海南要牢固树立和全面践行绿水青山就是金山银山的理念，在生态文明体制改革上先行一步，为全国生态文明建设作出表率。生态文明建设事关中华民族永续发展和“两个一百年”奋斗目标的实现。保护生态环境就是保护生产力，改善生态环境就是发展生产力。海南的青山绿水、碧海蓝天自古就为文人雅士所称道。苏东坡的“不似天涯，卷起杨花似雪花”；丘濬的“五峰如指翠相连，撑起炎荒半壁天。夜盥银河摘星斗，朝探碧落弄云烟”；杨维桢的“绿衣歌舞不动尘，海仙骑鱼波袅袅”，无不描绘出海南宛如仙境的动人景象。海南生态环境是大自然赐予的宝贵财富，必须倍加珍惜、精心呵护，使海南真正成为中华民族的四季花园。

党中央决定，支持海南建设国家生态文明试验区，鼓励海南省走出一条人与自然和谐发展的路子，为全国生态文明建设探索经验。要实行最严格的生态环境保护制度，构建高效统一的规划管理体系，率先建立现代生态环境和资源保护监管体制。要积极开展国家公园体制试点，建设热带雨林等国家公园，构建归属清晰、权责明确、监管有效的自然保护地体系。要完善以绿色发展为导向的考核评价体系，建立健全形式多样、绩效导向的生态保护补偿机制。要严格保护海洋生态环境，建立健全陆海统筹的生态系统保护修复和污染防治区域联动机制。

第五，海南要坚持以人民为中心的发展思想，不断满足人民日益增长的美好生活需要，让改革发展成果更多更公平惠及人民。改革开放在认识和实践上的每一次突破和深化，改革开放中每一个新生事物的产生和发展，改革开放每一个领域和环节经验的创造和积累，无不来自亿万人民的智慧和实践。没有人民支持和参与，任何改革都不可能取得成功。只有充分尊重人民意愿，形成广泛共识，人民才会积极支持改革、踊跃投身改革。要坚持人民主体地位，发挥群众首创精神，紧紧依靠人民推动改革开放。要坚持从人民群众普遍关注、反映强烈、反复出现的问题背后查找体制机制弊端，找准深化改革的重点和突破口。要始终把人民利益摆在至高无上的地位，加快推进民生领域体制机制改革，尽力而为、量力而行，着力提高保障和改善民生水平，不断完善公共服务体系，不断促进社会公平正义，推动公共资源向基层延伸、向农村覆盖、向困难群体倾斜，着力解决人民群众关心的现实利益问题。

事业因人才而兴，人才因事业而聚。“人材者，求之则愈出，置之则愈匮。”海南全面深化改革开放是国家的重大战略，必须举全国之力、聚四方之才。海南建省办经济特区初期就有“十万人才过海峡”的壮举。吸引人才、留住人才、用好人才，最好的环境是良好体制机制。要支持海南大学创建世界一流学科，鼓励国内知名高校和研究机构在海南设立分支机构，鼓励海南引进境外优质教育资源，举办高水平中外合作办学机构和项目，支持海南开展国际人才管理改革试点，允许外籍和港澳台地区技术技能人员按规定在海南就业、永久居留。允许在中国高等院校获得硕士及以上学位的优秀外国留学生在海南就业创业，扩大海南高校留学生规模。支持海南探索建立吸引外国高技术人才的管理制度。海南要坚持五湖四海广揽人才，在深化人才发展体制机制改革上有突破，实行更加积极、更加开放、更加有效的人才政策，创新人才培养支持机制，构建更加开放的引才机制，全面提升人才服务水平，让各类人才在海南各尽其用、各展其才。

第六，海南要坚持和加强党的全面领导，确保全面深化改革开放正确方向。坚持党的领导，全面从严治党，是改革开放取得成功的关键和根本。经济特区处于改革开放前沿，对全面加强党的领导和党的建设有着更高要求。广大党员、干部要坚定维护党中央权威和集中统一领导，自觉在思想上政治上行动上同党中央保持高度一致，自觉站在党和国家大局上想问题、办事情，在践行“四个意识”和“四个自信”上勇当先锋，在讲政治、顾大局、守规矩上做好表率。要用新时代中国特色社会主义思想武装头脑，帮助广大党员、干部坚定理想信念、更新知识观念、掌握过硬本领，更好适应新形势新任务的需要。要加强基层组织建设，把每一个基层党组织都打造成坚强的战斗堡垒。要以改革创新精神抓好党建，持之以恒正风肃纪，深入推进反腐败斗争，教育引导广大党员、干部自觉抵制不良风气对党内生活的侵蚀，营造风清气正的良好政治生态。

中央和国家有关部门要从全局高度出发，会同海南省做好顶层设计，坚持先谋后动，积极研究制定支持举措，共同推动各项政策落地见效。

女士们、先生们、同志们！

历史从不眷顾因循守旧、满足现状者，机遇属于勇于创新、永不自满者。一切伟大成就都是接续奋斗的结果，一切伟大事业都需要在继往开来中推进。历代经济特区建设者以他们的智慧、勇气、汗水书写了辉煌篇章。今天，海南广大干部群众要不忘初心、牢记使命，以“功成不必在我”的精神境界和“功成必定有我”的历史担当，保持历史耐心，发扬钉钉子精神，一张蓝图绘到底，一任接着一任干，在实现“两个一百年”奋斗目标、实现中华民族伟大复兴中国梦的新征程上努力创造无愧于时代的新业绩！